和爱因斯坦一起做实验

电磁的趣味乐园

[意]马蒂亚·克里韦利尼 著 [意]萝塞拉·特里翁费蒂 绘 王旭 译

SPM 南方传媒 | 新世纪出版社
·广州·

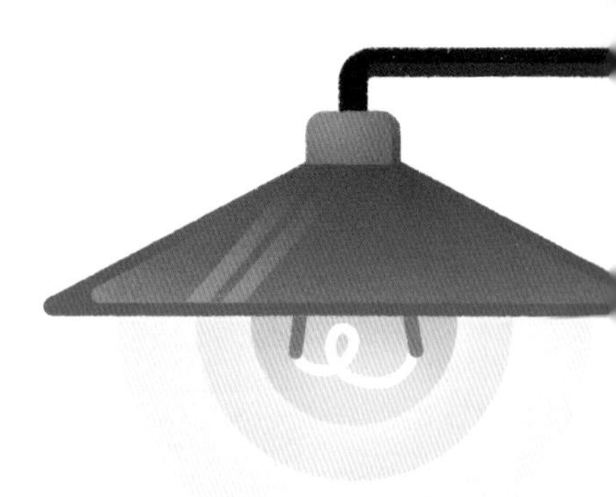

目录

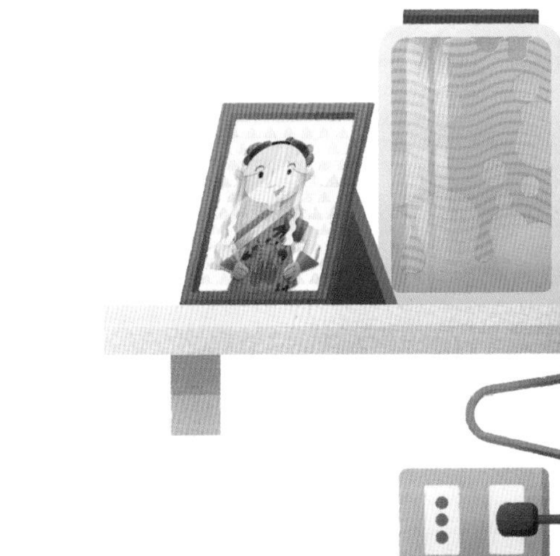

我们这样认识世界

科学研究方法是我们通过**科学知识**来探究周围世界的方法，也是我们已知的研究**世界万物**最可靠的方法。

科学并不是“精确”的代名词，但却可以重复，也就是说，它可以重复出现相同的结果。在同样的初始条件下，我们能预料到**科学实验**会得到相同的结果。科学研究方法具有**可实验性**，我们通过实验、测试和观察得到结果。在这个有趣的过程中，科学家可以充分发挥自己的创造力。

实验性科学研究的方法主要有以下几步：

1. 观察现象，提出问题。
2. 提出假设，即对该现象做出一个可能的解释。
3. 进行实验，检验假设是否正确。
4. 分析结果。
5. 用不同的方法重复实验。
6. 得到结论，创立规则。

与你同行！

我是**阿尔伯特·爱因斯坦**，你可以叫我**阿尔伯特教授**。我是一位有趣的科学家，喜欢旅行和户外骑行。我对生活和宇宙的一切事物都充满热情。

大家都叫我**滑板少年里奥**。我是一个热爱运动、活力四射的男孩。我喜欢看漫画、变魔术和弹吉他。阿尔伯特教授经常叫我帮他一起做好玩儿的实验。

我是**机器人格雷格**，属于高级人工智能产品。我有一个正电子大脑，里面却装满了不解……

四个字：安全第一！

1.在做任何实验之前，要先仔细阅读所有实验指导，确保所需材料的齐全。

2.在实验期间，禁止饮食，要特别注意别把实验用品放进嘴里！这可不是个好主意，千万不要这样做！

3.由于实验中你可能会把自己弄脏，尽量换上旧衣服吧！食用色素还可能会沾到你的衣服和皮肤上。

4.每次实验后要记得认真洗手，有些实验用品可能会危害健康。

本书中的一些科学实验需要在成年人的帮助和看护下进行。

不寻常的力量

你的文具盒里肯定有钢笔、铅笔、彩笔、橡皮、卷笔刀和曲别针吧？把这些东西全都倒出来放在桌子上，拿一块磁铁置于它们上方。看看有哪些东西会被磁铁吸起？

磁铁只能吸引含有铁、镍或钴的物体（铁磁性物质），而不能吸引由塑料、纸或者木头等材料制成的物体。

磁铁之所以能够把某些物体吸起来，是因为它们之间存在一种看不见的力量，我们把它叫做**磁力**。

磁性变种人

万磁王是漫威漫画中的一个角色。他是一个能够产生和控制磁力的变种人，因此，他能操纵和控制金属。

当磁铁靠近物体的时候，**磁力**变大，当磁铁远离物体的时候，磁力变小。磁力还可以穿透纸、塑料和水等不同的物质，对铁磁性物质发挥作用。

游来游去

你需要准备：

- 一张彩色纸板
- 一张铝箔
- 一个塑料瓶
- 三枚曲别针
- 一块磁铁
- 水
- 一个大塑料碗
- 一把剪刀

开始做实验吧：

困难等级：

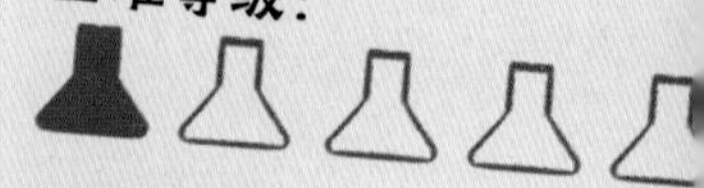

脏乱等级：

时间：10～15分钟

你自己就能完成哟，加油！

1

从彩色纸板、铝箔和塑料瓶上分别剪下一个鱼形的薄片，然后在上面分别固定一枚曲别针。

2 分别从三种材料上再剪下第二个鱼形的薄片。

3 在大塑料碗中装满水，把所有的“鱼”都放进去吧。

4 拿着磁铁在碗外表面移动，试着招引水里的“鱼”。神奇的事情发生了：它们中的几条跟着磁铁一起“游动”起来了！

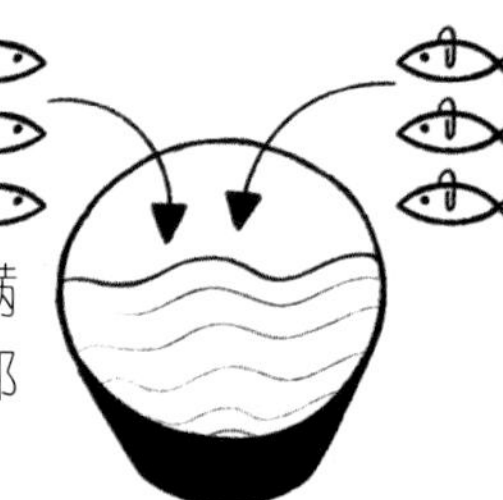

发生了什么

磁铁只能吸引那些带有曲别针的塑料“鱼”、铝箔“小鱼”和纸板“小鱼”，但是能吸引没有曲别针的“小鱼”，这是因为曲针的材料中含有铁，而且磁铁的磁力还能够透塑料碗和水。

宇宙飞船起飞啦

你需要准备：

- 一张卡纸
- 一枚曲别针
- 一块条形磁铁
- 一卷透明胶带
- 一根长度为20～30厘米的细线

开始做实验吧：

1 如图所示，在纸板上画一艘宇宙飞船（也可以为它涂上绚丽的颜色），并沿着轮廓线将其剪下。

2 将细线的一端系在曲别针上。

3 用透明胶带把曲别针固定到“宇宙飞船”上。

4 再用透明胶带把线的另一端固定在桌子上。

5 手拿磁铁，慢慢靠近曲别针，在不碰到曲别针的情况下让“宇宙飞船”飞起来吧。

困难等级：

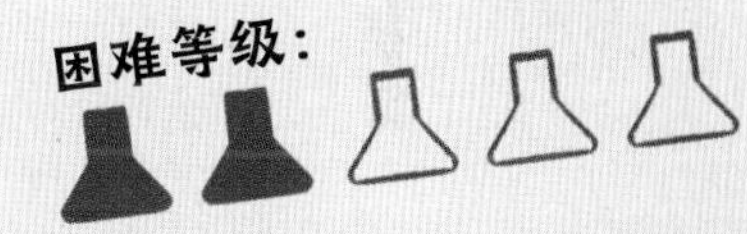

脏乱等级：

时间：10～15分钟

你自己就能完成哟，加油！

发生了什么

磁铁的磁力将曲别针向上拉动。如果你把磁铁从物体上方移开，远离物体，磁力就会减小，“宇宙飞船”就会坠落。

天然的磁性

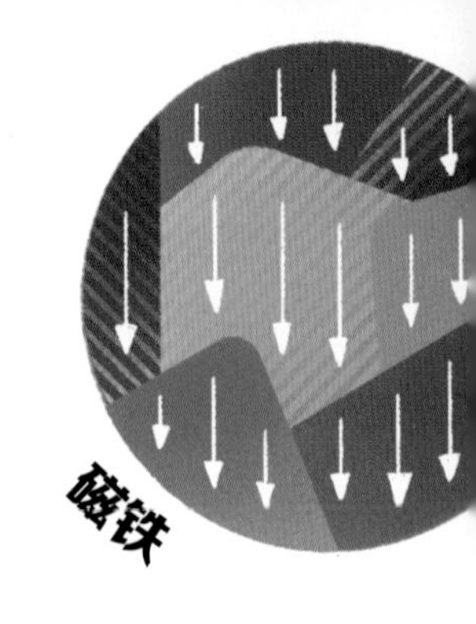

磁铁是由一种叫作磁铁矿的特殊矿物制成的。古希腊人早在两千多年前就发现了这种特殊材料。磁铁矿的名字（magnetite）来源于它的发现地，那是坐落于土耳其的一座城市，曾经叫做马格尼西亚（Magnesia），也就是现在的马尼萨市（Manisa）。

铁和其他金属一样，内部有很多小型的**磁性**区域，每个小区域里都被均匀磁化，这些小区域就叫作**磁畴**。在磁铁矿中，这些小区域内部产生的磁场全都同方向整齐排列，而不同的区域内，磁场的方向不同。

排列整齐!

磁铁矿可以把自己的能量转移到一些特定的金属上，但并不是所有金属都可以接收这种能量。当我们把磁铁靠近铁磁性物质时，磁畴中的磁化方向排列整齐，方向相同，于是它也成为了一块磁铁。

铁钉大变身

开始做实验吧：

你需要准备：

- 一块条形磁铁
- 一枚钉子
- 一根缝衣针

手握钉子在磁铁的一端进行摩擦，重复做圆周运动。

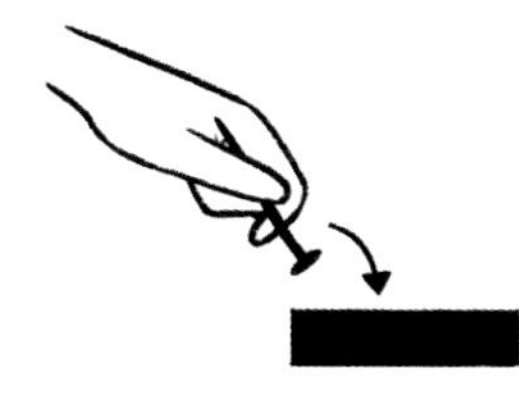

2 将钉子靠近缝衣针，仔细观察，看会发生什么吧！

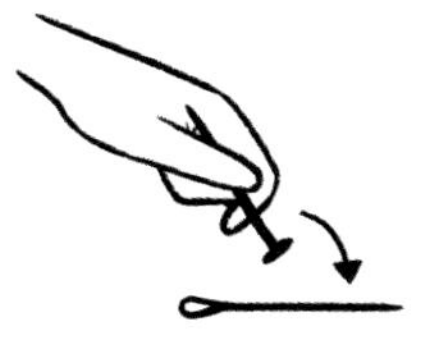

困难等级：

脏乱等级：

时间：10～15分钟

和爸爸妈妈一起做！

发生了什么

当你拿着钉子在磁铁上反复摩擦时，它就会被磁化，导致其磁畴重新定向。所以，这枚钉子暂时变成了磁铁，可以吸引其他含铁的物体，当然包括实验中的缝衣针。

小汽车开动啦

所有的磁铁都有两个磁极，分别叫作**南极**和**北极**。

无论在什么方向，磁铁都能吸引铁磁性物体，但是对于两块磁铁来说，只有磁极相反的时候，它们才能互相吸引。

比如我们把一块磁铁的北极靠近另一块磁铁的南极，它们就会互相吸引。当我们把两块磁铁的两个北极或者两个南极靠在一起时，它们则会互相排斥。

困难等级：

脏乱等级：

时间：40~50分钟

你自己就能完成哟，加油！

你需要准备：

- 一辆玩具小汽车
- 两块条形磁铁
- 一卷透明胶带
- 两张红色卡片和两张蓝色卡片

开始做实验吧：

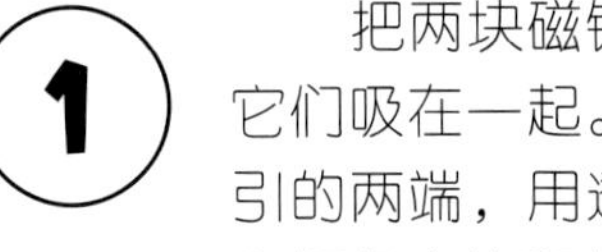

把两块磁铁放在一起，使它们吸在一起。在磁铁互相吸引的两端，用透明胶带分别贴上红色卡片和蓝色卡片。

在两块磁铁的另一端也贴上卡片，使每块磁铁的一端是红色卡片、另一端是蓝色卡片。

如图所示，用透明胶带把一块磁铁粘到你的玩具小汽车上。

拿起另一块磁铁靠近小汽车。先用一端靠近，再用另一端靠近，你看到了什么现象呢？

发生了什么

两块磁铁之间互相吸引和互相排斥的磁力使玩具小汽车动起来啦。

制作玩具小车

利用回收材料制作自己的玩具小车吧！你需要：一个塑料瓶（饮料瓶）、一根吸管、两根长竹签、四个相同大小的瓶盖、透明胶带和一把锥子。

1. 把吸管剪成长短相等的两段（保证每段长度为6厘米左右）。

2. 把两段吸管粘到瓶子的同一面，一段靠近瓶颈，一段靠近瓶底。

3. 把两根竹签分别切成10厘米的长度，把它们插进吸管中。

4. 在爸爸妈妈的帮助下，用锥子在每个瓶盖中间扎出一个洞，然后将它们两两穿到竹签两端，作为车轮。

现在，你的小车可以出发了！

地球是个大磁铁

磁铁的周围存在着无形的**磁场**。

如果我们在**磁铁**周围撒上铁屑，它们就会形成从磁铁的顶部出发回到底部的环形**磁感线**，磁感线的疏密程度显示出磁感应的强度大小。

地球是一个巨大的磁铁，它可以产生磁场，磁感线连接地球的两极。

来自太空的神奇景观

地球**磁场**可以保护我们免受来自太阳的危险辐射。这种保护在两极较弱，以至于放射性粒子能够穿透大气层，形成奇妙的光束，这就是极光。

看见隐形的力

困难等级：

脏乱等级：

时间：10分钟

你自己就能完成哟，加

你需要准备：

- 一杯糖浆
- 一些铁屑
- 一把勺子
- 一个透明容器
- 一块条形磁铁
- 一块马蹄形磁铁

开始做实验吧：

把一勺铁屑和一杯糖浆在透明容器里充分混合。

把条形磁铁用不同的方式放在容器下面，观察容器内发生的现象。

现在，再试试马蹄形磁铁，通过挪动它的位置来仔细观察吧！

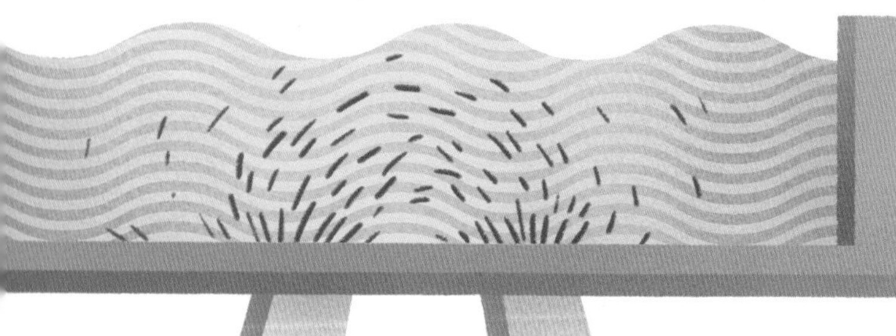

发生了什么

铁屑被磁铁吸引，全部沿着磁场的磁感线方向移动：它们在两极更加集中，在两极之外的区域则分布得更广。由于糖浆减缓了铁屑的运动，这样，你就能更好更清晰地观察到实验现象了。

指南针怎么用

你需要准备：

- 一个指南针
- 一张你所在城市的地图

开始做实验吧：

走出家门，把指南针放在地面，看看它指向的北方是哪个方向。

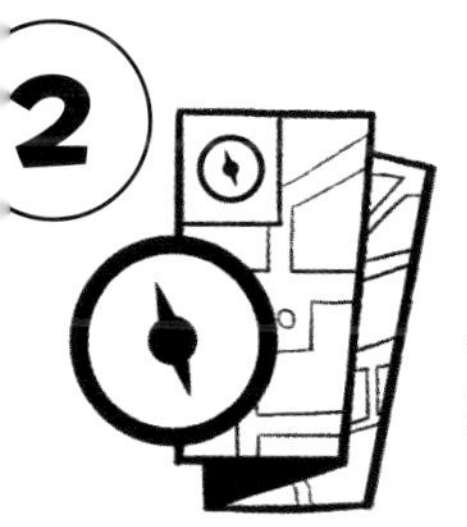

定位地图，使地图上的北方与指南针指向的北方朝向一致。

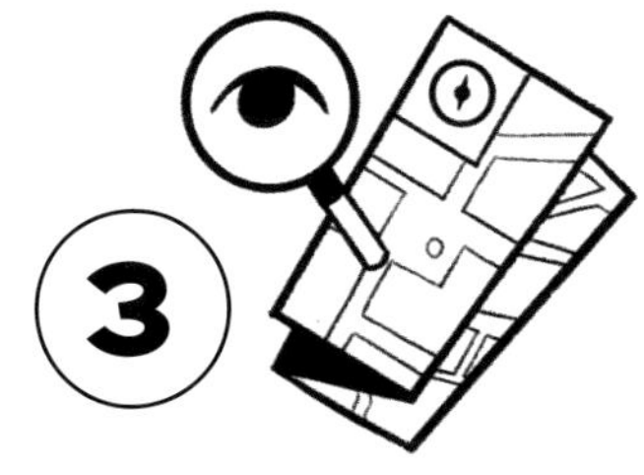

看看你周围的街道，再看看地图上的那些街道，它们是对应的吗？

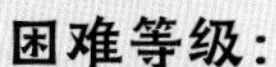

困难等级：

脏乱等级：

时间：20分钟

和爸爸妈妈一起做！

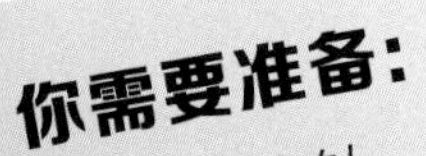

发生了什么

注意地图上的街道和你所在的街道是如何对应的。

你知道吗

古罗马人在建造城市的时候，道路的方向都是以基本方位来确定的。两条主要轴线分别是南北向道路和东西向道路。

辨别方向靠什么

有很多种动物，尤其是迁徙动物，能够利用大脑中微小的磁性晶体辨别方向，这简直太厉害了！

比如**知更鸟**每年冬天都会飞行数千千米到达同一个地方；越冬**海龟**可以在多年以后，游过广阔的海洋回到它们出生时的那片海滩上。

你知道吗

指南针是中国古代四大发明之一。起初，人们只是把它作为祭祀、礼仪、军事占卜等活动时所用的器具，后来它才被用作导航工具。

这位先生是威廉·吉尔伯特。公元 1600 年，在指南针的帮助下，他成为世界上第一个认识到地球是个巨人磁铁的人！

手工指南针

你需要准备：

- 一个软木塞
- 一根缝衣针
- 一块条形磁铁
- 一碗水
- 剪刀和美工刀
- 透明胶带

困难等级：

脏乱等级：

时间：20分钟

和爸爸妈妈一起做！

开始做实验吧：

1 拿着缝衣针在磁铁的同一个地方反复摩擦多次。

2 加工软木塞：用剪刀将其修剪为0.5厘米高的软木塞片。

3 用透明胶带把缝衣针固定在软木塞片上。

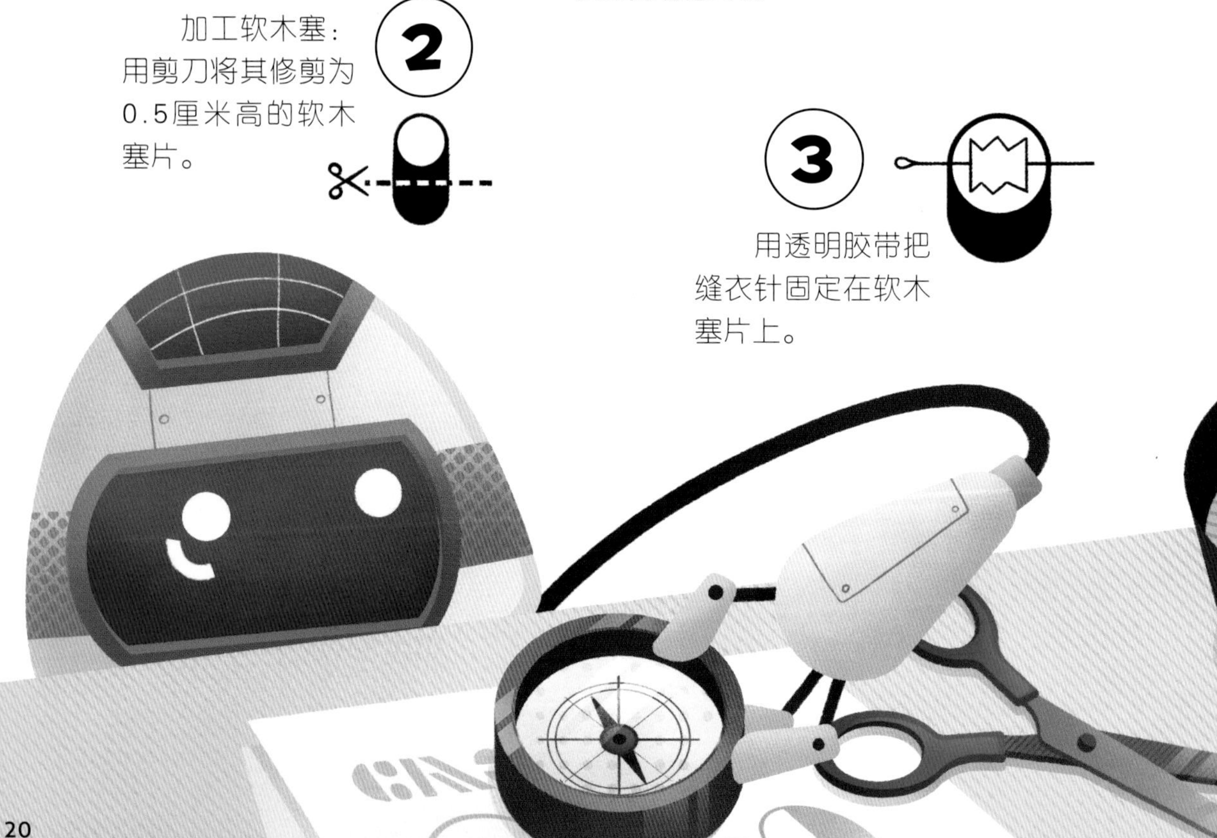

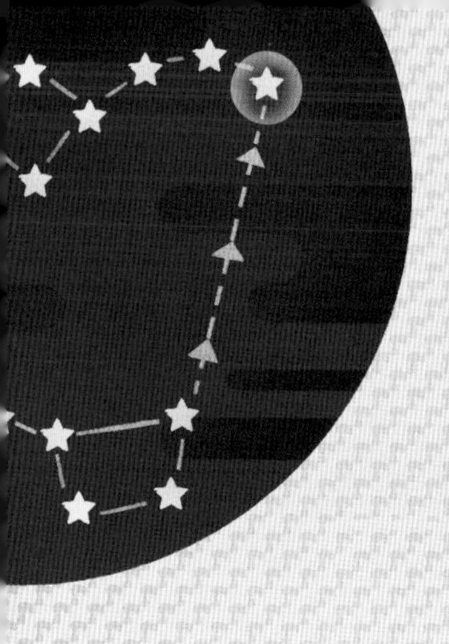

你知道吗

在指南针出现之前，水手们都是通过星星的位置来辨认方向的，但是，这种方法只在天气晴朗的时候才有效。

今天，我们拥有了更复杂更精准的工具，那就是全球卫星导航系统。

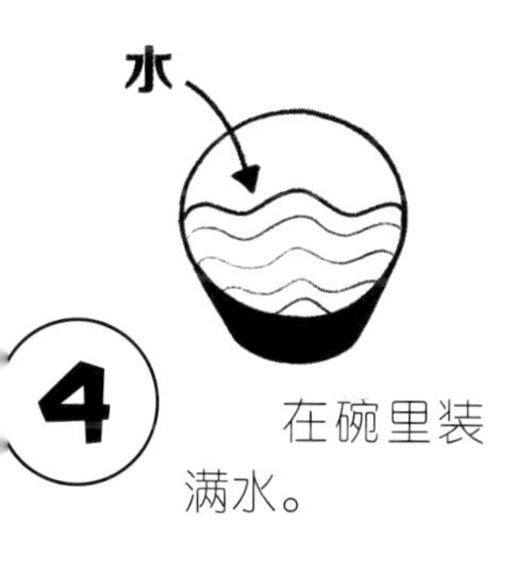

4 在碗里装满水。

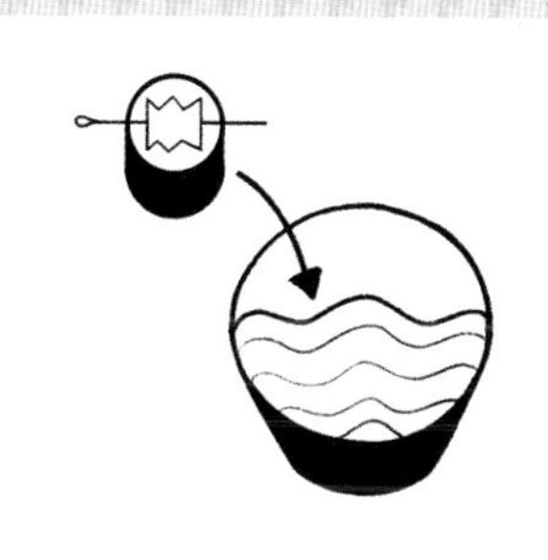

5 把与缝衣针固定在一起的软木塞放在水面。

6 仔细观察在与地球磁场方向对应之前，缝衣针是如何旋转的。

发生了什么

当你把缝衣针在磁铁上摩擦的时候，缝衣针被磁化了。磁化后的缝衣针会朝向地球磁场的方向在水面上旋转，最终与地球南北轴的方向一致，指向南北方向。

会拐弯的水流

电的英文单词（electricity）来源于希腊语（elektron），本来是**琥珀**的意思。当琥珀用布摩擦之后，就可以吸引羽毛、稻草和线头这些轻盈的物体，这种现象叫作**静电**吸引。还有其他一些材料也可以通过摩擦带电，如玻璃、橡胶和塑料。

静电力既可以吸引其他物体，也可以**排斥**其他物体。

自然界存在两种类型的**电荷**：**正电荷**和**负电荷**。同种电荷相互排斥，异种电荷相互吸引。

通常情况下，物体呈**电中性**，即含有相同数量的正电荷和负电荷。然而，当被摩擦之后，电荷发生转移，物体就会带电，带正电或带负电。

困难等级：

脏乱等级：

时间：30分钟

和爸爸妈妈一起做！

你需要准备：

- 一个气球
- 你的头发
- 水龙头

开始做实验吧：

1 把气球吹起来，端口打一个结。

2 拿起气球在自己的头发上反复摩擦。

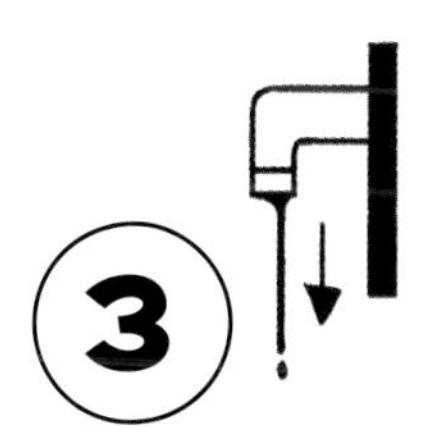

3 轻轻打开水龙头，让水慢慢流下。

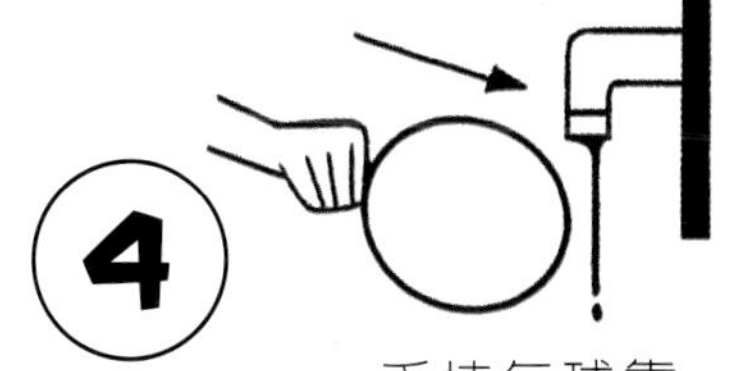

4 手持气球靠近水流，观察发生了什么吧！

发生了什么

气球和头发摩擦的时候，气球就会带静电。当你把带静电的气球靠近不带电的水流时，由于静电感应，水流靠近气球的一边会集聚与气球携带电荷相反的电荷，而由于异性电荷相互吸引，出现静电吸附现象。所以，水流方向发生偏转。

追逐闪电的人

当大量电极相反的电荷聚积在地球表面和云层之间、云与云之间或者云体内各部位之间时，将产生强烈的放电现象，这就是**闪电**。

科学家们试图捕捉闪电的能量，但都没有成功。闪电发生时释放的能量非常强大，而且集中，但我们不知道它会在何时何地发生。

你看过电影《回到未来》吗？影片中的马丁和布朗博士成功捕获到闪电的能量，还用这个强大的能量重启了时光机器。不过，这只是一个虚构的故事哟！

本杰明·富兰克林冒着生命危险，成功地改变了闪电的路径。他做了一个风筝，并在风筝上装了一根金属杆，风筝线也是用金属丝做的。现在，我们用的避雷针就是根据他的冒险成果发明出来的。

尼古拉·特斯拉发明了一种叫作特斯拉线圈的设备。类似于大气层中产生的闪电，特斯拉线圈能产生火花，尽管这种能量比闪电要小得多！

自制验电器

困难等级： 3/5

脏乱等级： 3/5

时间：30分钟

和爸爸妈妈一起做！

你需要准备：

- 一个高度至少15厘米、有塑料盖的玻璃罐
- 长度为12厘米的坚硬金属丝
- 一团铝箔（呈圆球状）
- 两条长度为4厘米、宽度为1.5厘米的铝箔
- 一枚图钉
- 一根塑料棒
- 一块羊毛毡
- 一卷绝缘胶带

开始做实验吧：

1. 用图钉在玻璃罐的塑料盖上扎一个洞。

2. 把金属丝从洞中插进去一半左右的长度，用绝缘胶带固定。

3

把铝箔球插在金属丝位于瓶盖上方的一端。

6

手拿塑料棒靠近铝箔球，观察会发生什么现象吧。

4

把金属丝的另一端折弯成一个钩状，把两片铝箔固定在钩子上。

7

然后，在羊毛毡上反复摩擦塑料棒，再将其靠近铝箔球，这时，你又看到发生了什么呢？

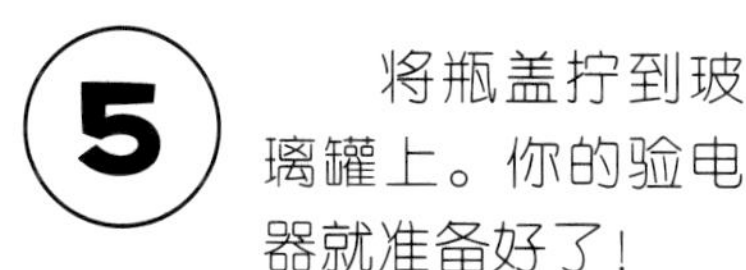

5

将瓶盖拧到玻璃罐上。你的验电器就准备好了！

发生了什么

当直接用不带电的塑料棒靠近铝箔球时，下方的铝箔片不动。当塑料棒在羊毛毡上摩擦后，塑料棒带电。用带电的塑料棒靠近验电器时，由于静电感应，铝箔球感应出与塑料棒相反的电荷，而两片铝箔带有与塑料棒相同的电荷，由于同种电荷互相排斥，铝箔片就会张开。

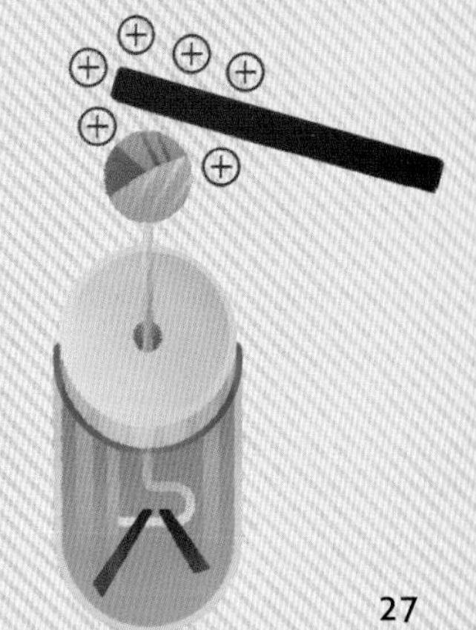

他发明了电池

电池是一种通过内部物质之间自发的化学反应而产生电能的装置。

1800年，**亚历山德罗·伏特**发明了世界上最早的电池伏打电堆，它是现代电池的先驱。

伏特把锌片和铜片叠在一起，中间间隔浸满酸性溶液的毛毡，他把这种装置称为“电堆”。

你知道吗

电动汽车是在19世纪中期发明的，但是直到最近几年才开始普及。它使用可充电电池代替燃料来驱动引擎。

你需要准备：

- 八枚铜硬币
- 一张白纸
- 一张锌箔片
- 一把剪刀
- 一杯柠檬汁
- 一个发光二极管

困难等级：

脏乱等级：

时间：30分钟

和爸爸妈妈一起做！

开始做实验吧：

如图所示，将一枚硬币分别放在纸片和锌箔片上，沿硬币轮廓剪下相同形状的纸片和锌箔片，各剪八份。

将硬币形状的纸片在柠檬汁中浸湿。

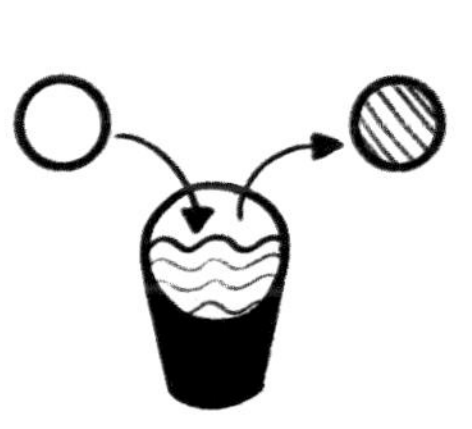

按照硬币、被柠檬汁浸湿的纸片、锌箔片的顺序，将它们依次垒叠成一个圆柱形“电池”。

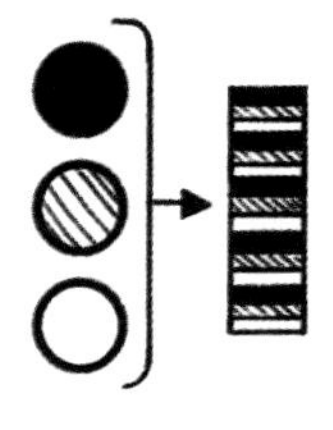

把发光二极管连接到“电池”的两端。观察发生了什么现象。

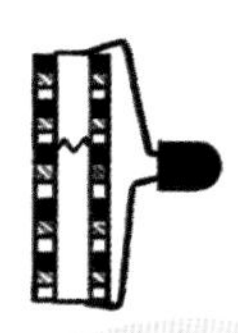

注意！

不要把纸片上的柠檬汁滴到电池上，不然会发生短路，发光二极管就亮不了啦！

发生了什么

电子可以通过“电池”中锌和铜之间的酸性溶液移动。三种材料叠起来的层数越多，“电池”的电能就越强。

日常生活中的电力

电流的英文单词（current）来自拉丁语（currens），意思是“奔跑”。这个词用来描述电子在电压的作用下加速运动，从一个区域移动到另一个区域的现象。**电压**的国际单位是伏特，这是为了纪念**亚历山德罗·伏特**而命名的。

V
伏特

今天，我们家里的电力系统使用的交流电（AC）是**尼古拉·特斯拉**设计出来的。交流电比**托马斯·爱迪生**发明的直流电（DC）更加有效和实用。如今，我们几乎只在电池中使用直流电。

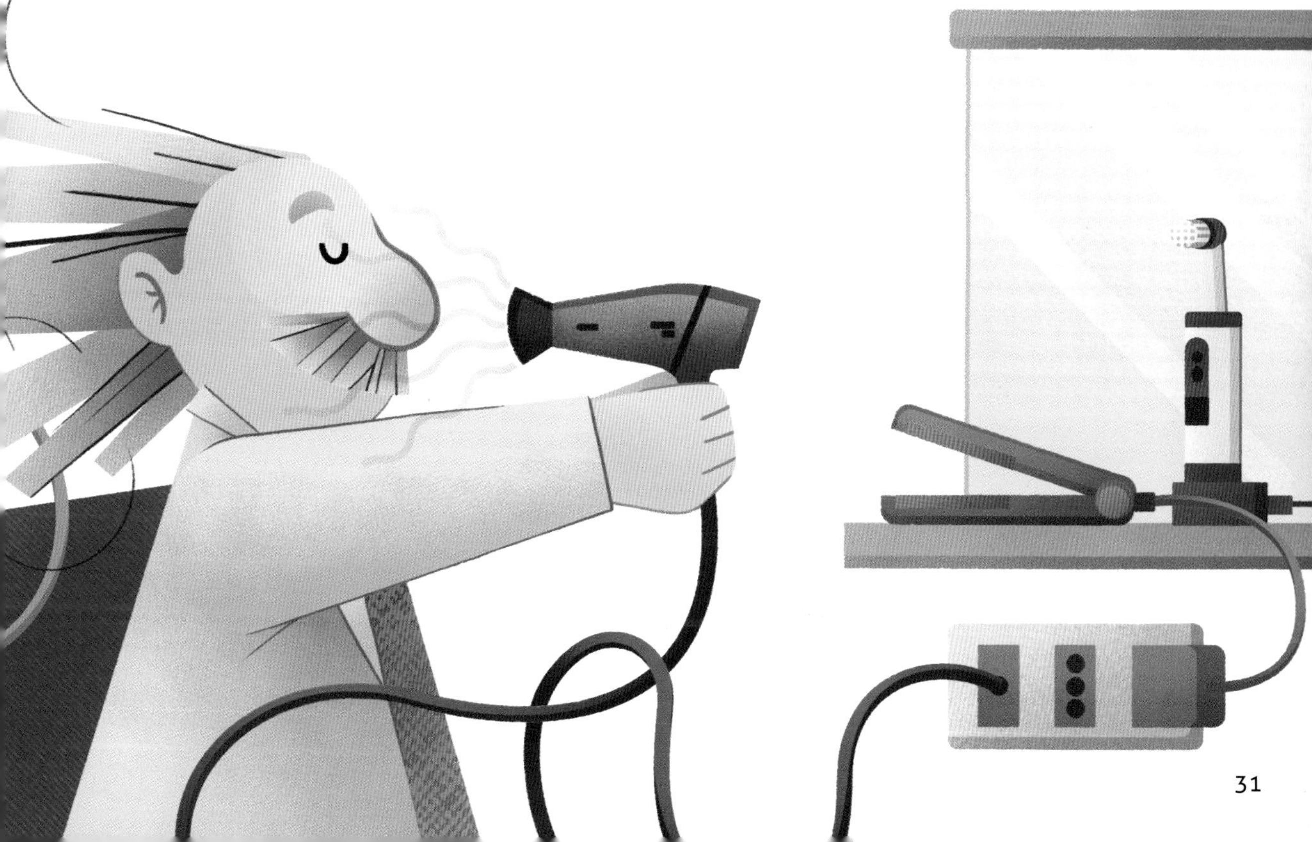

一起搭建电路吧

电路是电子流动的闭合回路。

最简单的电路由以下几个部分组成：

- **发电机**或**电池**，是把其他形式的能量转变成为电能的装置。
- **电器**，如灯泡、风扇或者电熨斗。
- **导电线**，是连接电路中所有元件、使电流顺畅通过的导线。

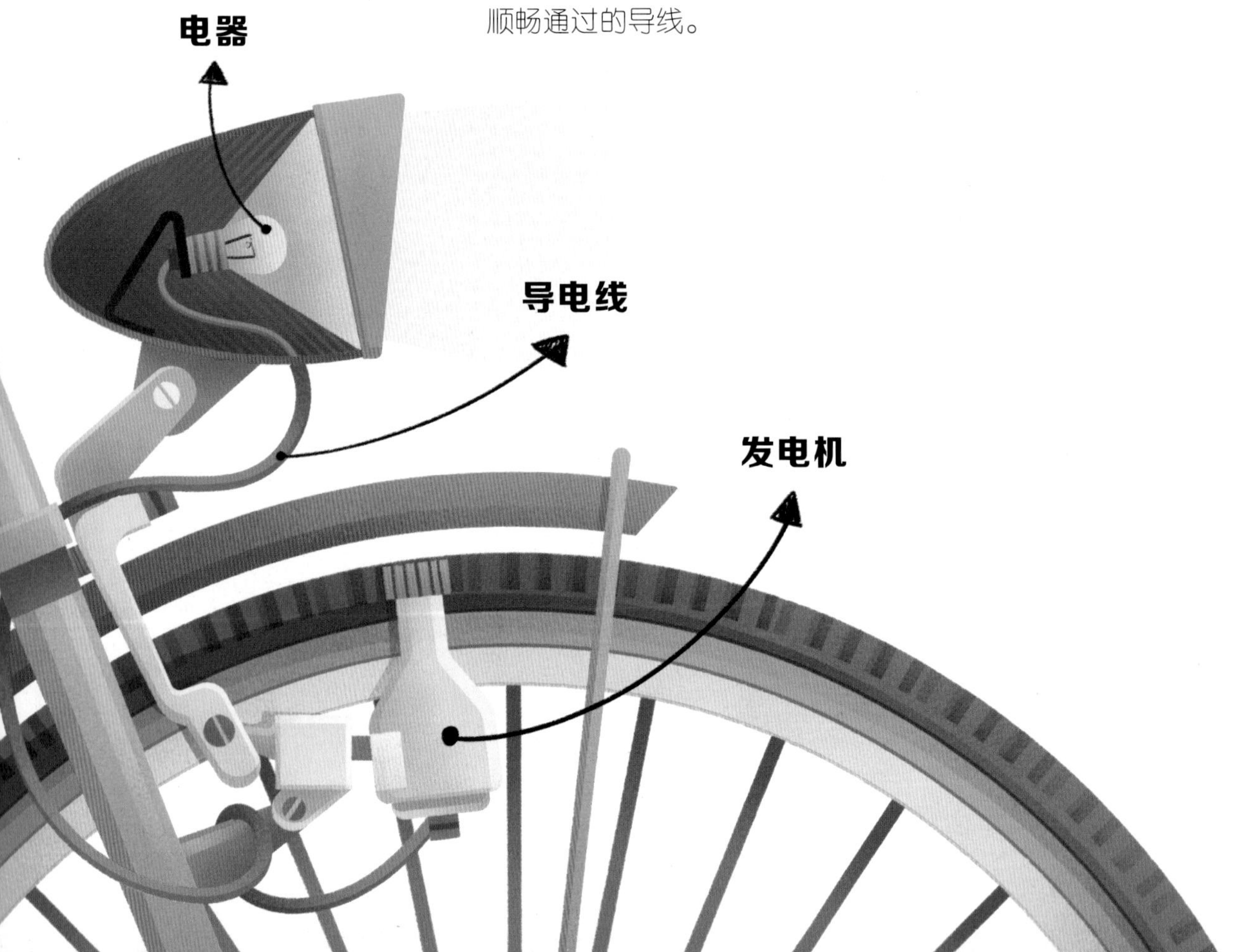

开始做实验吧：

你需要准备：

- 一根长度至少为40厘米的电线
- 4.5伏的电池
- 一个4.5伏小灯泡
- 一个灯座
- 一把剪刀

困难等级：

脏乱等级：

时间：30分钟

和爸爸妈妈一起做！

1. 剪下两段长度为20厘米的电线。

2. 把两段电线分别连接到电池的两极上，注意不要让两段电线相互接触。

3. 把小灯泡安装到灯座上，分别将两段电线的另一端与灯座连接。

4. 观察所发生的现象。

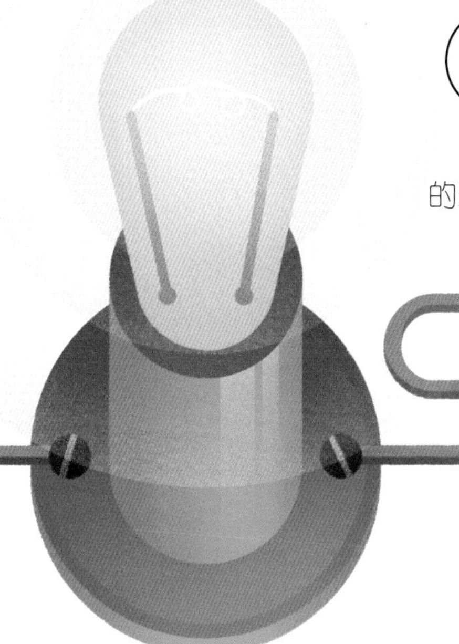

发生了什么

你已经搭建了一条电路。电池就是发电机，小灯泡是用电器，电线是电流流动的路径。由于电流的流动，小灯泡就亮起来啦！

什么是导体和绝缘体

不是所有材料都允许电流通过。电子在一些材料中很容易流动，在另一些材料中则不然。

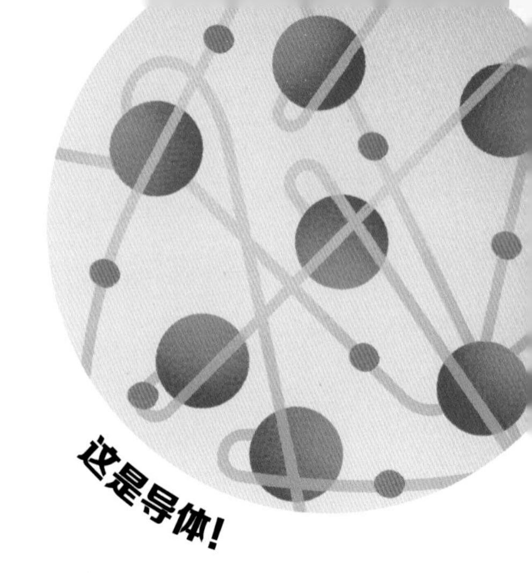

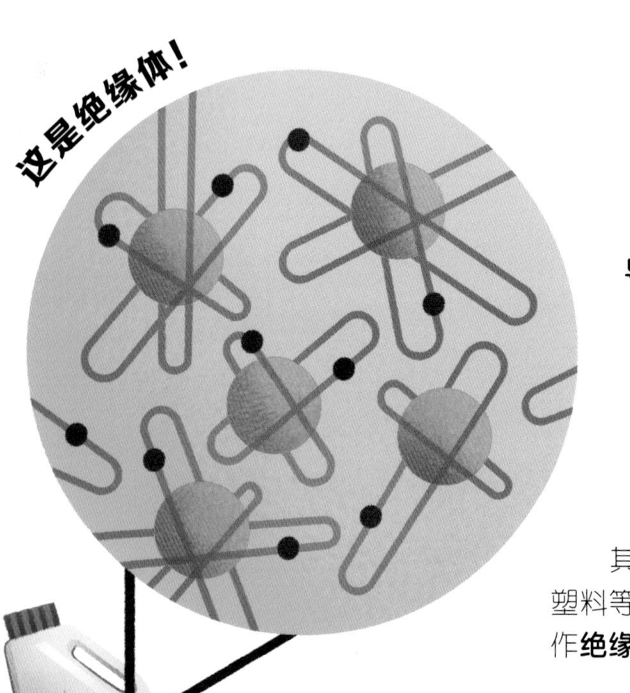

金属材料，比如铁、铜、铝等是**导体**，它们可以让电流通过。

其他一些材料，如木头、玻璃和塑料等不允许电流通过，这些材料叫作**绝缘体**。

水能导电吗？

自来水、雨水、海水和河水中都含有一些可溶性物质，使这些水成为电的良好**导体**。但是要注意，纯水，也叫作蒸馏水，由于不含有任何可溶性物质，所以不能导电。

它们能导电！

你完成前一个实验了吗？

你需要准备：

- 在前一个实验中搭建的电路
- 不同材料的物体，如木头（衣夹）、塑料（笔帽）、织物（或者毛线）、纸、铝箔、铁（钉子）、橡皮、橡皮筋、铜线
- 纸和铅笔

困难等级：

脏乱等级：

时间：30分钟

和爸爸妈妈一起做！

开始做实验吧：

1 如图所示，把电路中的电线剪断。

2 选一个物体放在被剪断的电线中间，确保电线和物体接触良好。

3 现在，请你分别用其他材料试一试。

4 使用哪种材料时，小灯泡会亮起来呢？用纸和铅笔记录下来吧。

发生了什么

有一些材料能够让小灯泡亮起来，如铝箔、铜线和铁等，因为它们是电流的良好导体。而有些材料不能使小灯泡亮起来，如纸、塑料和橡皮等，因为它们是绝缘体。

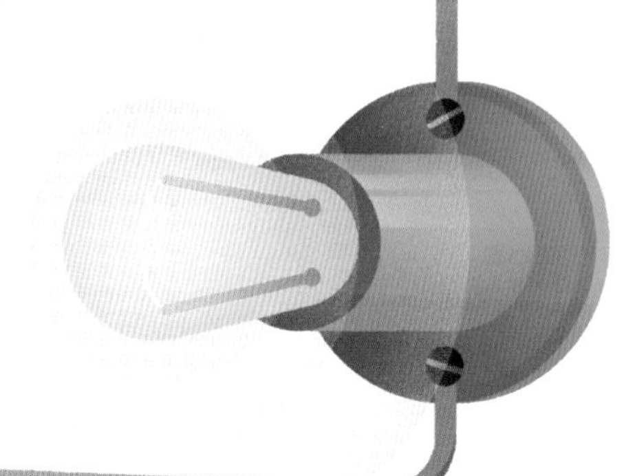

柔软的电路

困难等级：

脏乱等级：

时间：1小时

和爸爸妈妈一起做！

你需要准备：

- 导电面团（见配方）
- 不导电面团（见配方）
- 一个发光二极管
- 两段电线
- 4.5伏电池
- 一卷绝缘胶带

导电面团配方

200毫升水
210克面粉
90克食盐
130毫升柠檬汁
1勺食用油
1勺食用色素

首先，将200毫升水、160克面粉、90克食盐、130毫升柠檬汁和1勺食用油放到锅里充分搅拌。然后，一边用小火加热，一边将混合物搅动成面团。接着，把面团放在盘子上冷却几分钟。最后，将剩余的面粉和1勺食用色素加在面团里揉均匀，导电面团就准备好啦。

不导电面团配方

80克白砂糖
140克面粉
200毫升蒸馏水
3勺食用油

首先，将一半面粉（70克）、全部的白砂糖和食用油放到碗里，充分搅拌。然后，添加1勺蒸馏水并加入剩余面粉，揉一揉，再加入1勺水进行揉制。每次加1勺水，多重复几次，不导电面团就完成啦！

你可以把面团包在保鲜膜里，放在密封的容器里保存几周。

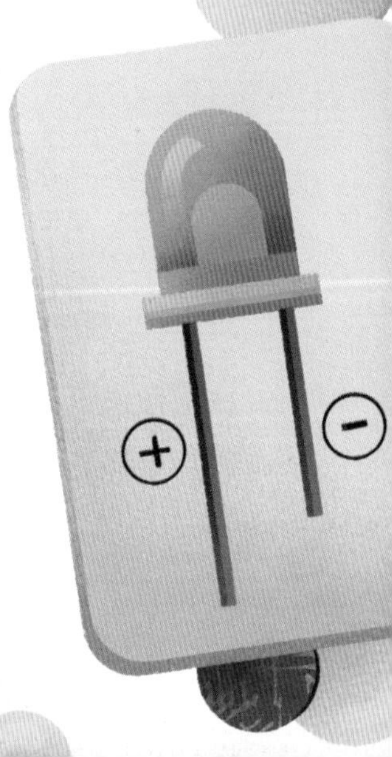

根据配方准备好两种面团。

把导电面团揉成条状，切出两段来，它们就是你的导体啦。注意不要让面团碰在一起哟！

把两段电线连接在电池的两极上，用绝缘胶带固定。

分别把两段电线的另一端插入导电面团里。

5

把发光二极管的两个引脚插在导电面团里，较长的引脚要插到连接电池正极的面团上。发光二极管就可以亮起来了。

6

另外再取一段导电面团，轻触一下已有的两段，然后再拿走，会发生什么现象呢？

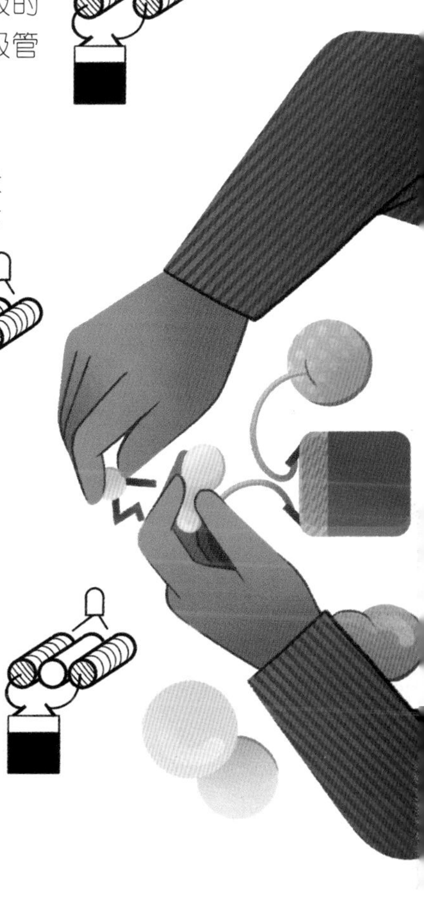

现在，请你在两段导电面团中间放一块不导电面团，又有什么现象发生呢？

发生了什么

如果用导电面团碰触电路中的面团，就会发生短路，电流会选择最短路径，从面团之间的接触点通过，而不会通过发光二极管，所以小灯泡不亮。

如果把不导电面团放在两个导电面团之间，由于不导电面团是绝缘体，电流仍然会通过发光二极管，所以小灯泡会亮。完成这个电路之后，你还可以使用剩余的面团搭建电路，充分发挥想象力，创造出更多有趣的现象。

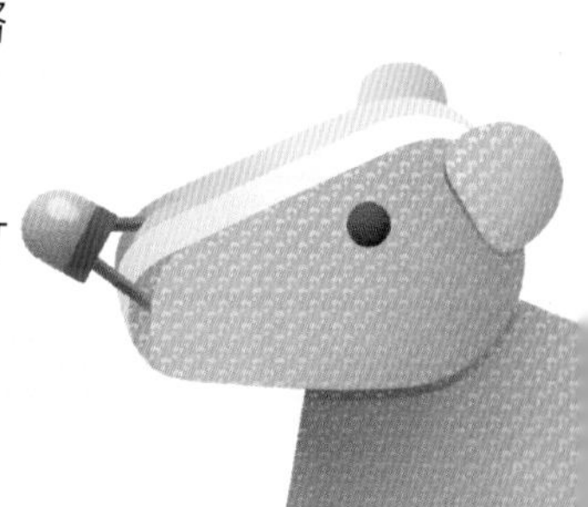

电磁学出现了

安培和奥斯特

直到19世纪初期，人们还认为电力和磁力是两种完全不同的现象。科学家安培和奥斯特是最先设想这两种力量是紧密相连的人。他们证明了**电场可以产生磁场**，在同一时期，法拉第证明了**磁场也可以产生电场**。

这些研究引发了一场不可思议的技术革命：**电磁学**。这是一系列重大发明的开端！

与其他伟大的科学技术革命一样，所有的发明创造都不是一蹴而就的。这些伟大的发明是许多科学家努力钻研和协同合作的结果。

让我们记住塞缪尔·莫尔斯、托马斯·爱迪生、尼古拉·特斯拉、伽利尔摩·马可尼，还有许多为推动人类进步事业而做出杰出贡献的科学家们。

手机磁场小测试

困难等级：

脏乱等级：

时间：20分钟

和爸爸妈妈一起做！

你需要准备：

- 一个指南针
- 一部手机

开始做实验吧：

拿起手机从指南针上方移动过去，仔细观察发生了什么现象。

发生了什么

电池为手机提供电力，手机电流产生的磁场能够被指南针指针的移动检测到。

奇妙的电磁感应

时间：20分钟
和爸爸妈妈一起做！

你需要准备：

- 一个万用表
- 一块条形磁铁
- 一根漆包铜线（绕组线），长度足够绕磁铁50圈
- 一片瓦楞纸
- 一把剪刀
- 一瓶胶水

开始做实验吧：

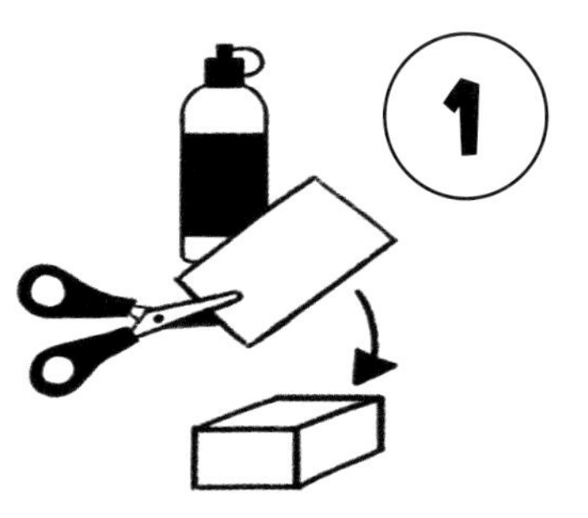

1. 用剪刀、胶水和瓦楞纸板做一个比条形磁铁稍大的纸盒。

2. 用漆包铜线缠绕纸盒50圈，做成一个线圈。

3. 把漆包铜线的两端连接到万用表上。

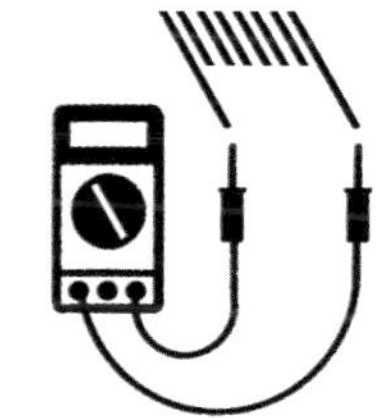

4. 从线圈中取出纸盒，并将磁铁插入其位置。

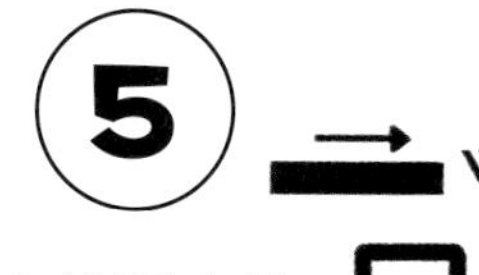

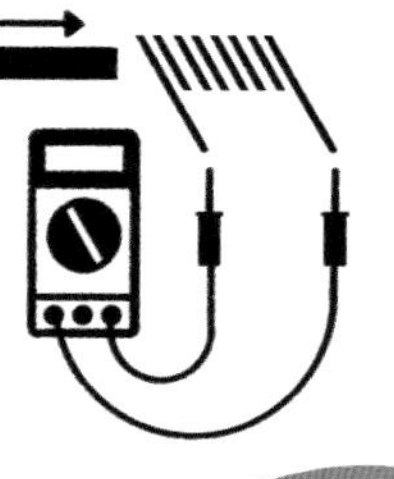

5. 在线圈内前后移动磁铁，观察发生了什么现象吧！

发生了什么

万用表的指针转动，说明有电流通过。电流是磁铁在线圈中运动产生的。

简易电动机做好啦

无论是搅拌机、洗衣机、洗碗机和电吹风等家用电器，还是汽车和公共交通工具，都利用电动机将电能转换为机械能。

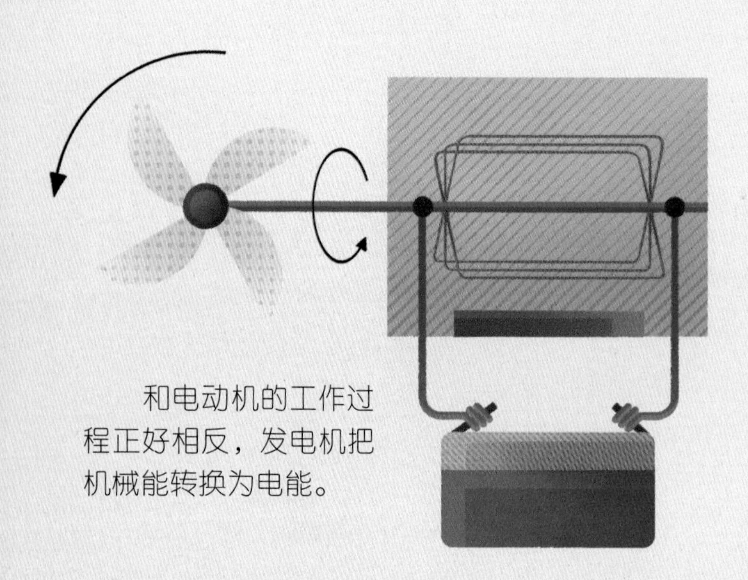

和电动机的工作过程正好相反，发电机把机械能转换为电能。

你需要准备：

- 一枚纽扣磁铁
- 一块边长为10厘米的正方形泡沫塑料
- 两枚大曲别针
- 长度为1米的漆包铜线
- 两段长度为10厘米的电线
- 一个1.5伏的电池
- 一把剪刀
- 一卷绝缘胶带

开始做实验吧：

1 用绝缘胶带把纽扣磁铁粘在泡沫塑料的中间。

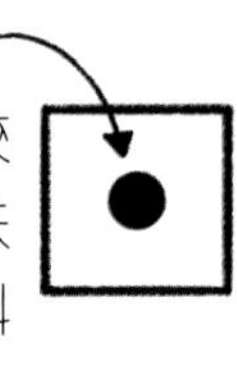

2 缠绕漆包铜线，使其形成一个具有很多圈的线圈。

3

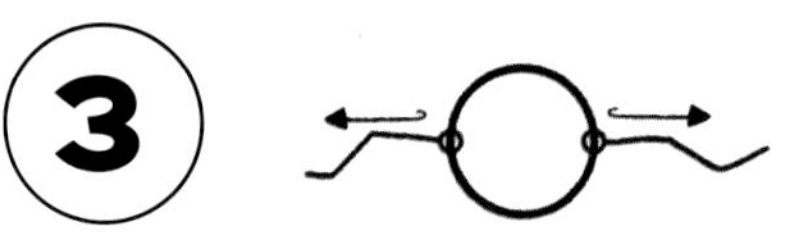

在线圈两头留出两段长度为5厘米的漆包铜线。

困难等级：

脏乱等级：

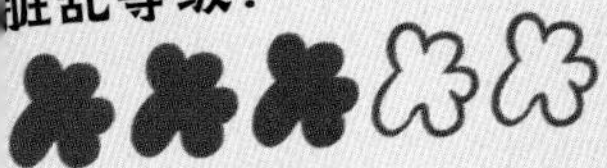

时间：20分钟

和爸爸妈妈一起做！

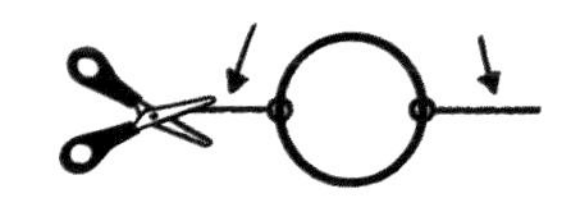

把漆包铜线的末端拉直，用剪刀剥去铜线外的橡胶。

注意！

在实验中，线圈和电池都会发烫。

分别把两枚曲别针的一端拉直，形成字母P的形状，用来支撑线圈。

将两枚P型曲别针插到泡沫上，一个插在磁铁左边，一个插在磁铁右边。

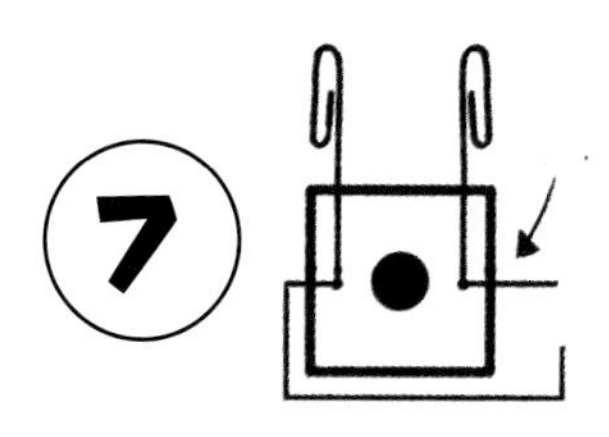

如图所示，将两段电线分别连接到曲别针的底部。

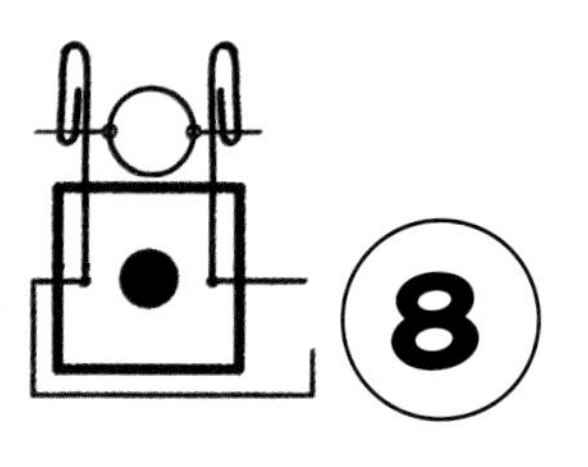

把线圈的两端放在曲别针弯钩的中间，使线圈可以自由转动。

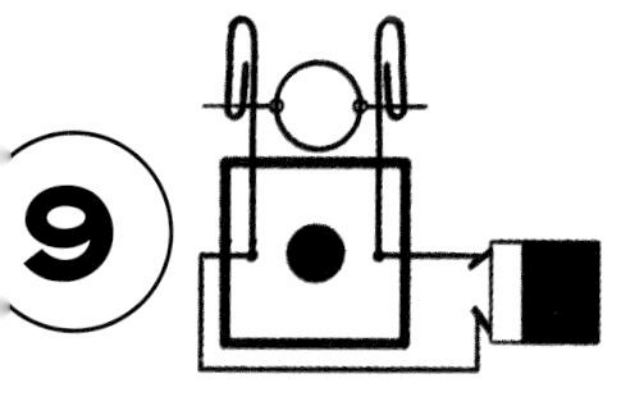

把电线的另外两端与电池相连，用透明胶带固定，然后拨动线圈开始转动。

发生了什么

铜线的末端是导体，而外面包覆着绝缘体。线圈中流过方向不断变化的电流，产生了间断的磁场，与下面磁铁产生的磁场相互作用，所以线圈开始转动。

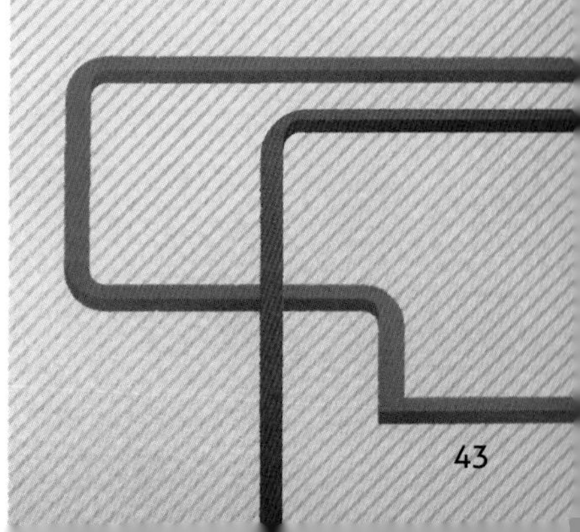

不要触碰

在这个实验中，不要把线圈和电线接触，避免导通电路。

困难等级：

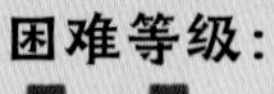

脏乱等级：

时间：30分钟

和爸爸妈妈一起做！

你需要准备：

- 一张纸板
- 泡沫塑料
- 热熔胶
- 绝缘胶带和双面胶带
- 直径为6毫米、高度为3毫米的纽扣磁铁
- 长度为5厘米的条形磁铁
- 长度为1.5米、直径为2毫米的铁丝
- 电线
- 蜂鸣器
- 4.5伏的电池
- 一根木扦子
- 铅笔
- 圆珠笔的塑料笔杆
- 用曲别针弯折出的圆钩形，直径约2厘米

开始做实验吧：

如图所示，剪出两个20厘米X40厘米规格的纸板和一块相同大小的长方形泡沫塑料，用双面胶把它们粘到一起。

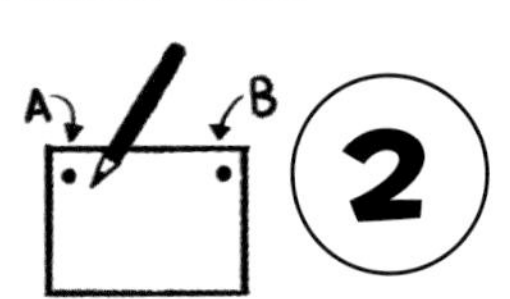

在纸板上画两个点，分别是A点和B点。

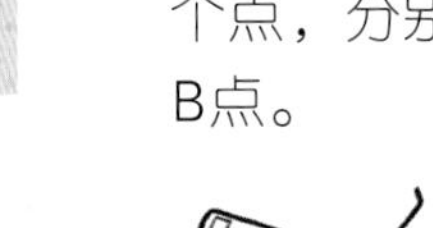

把铁丝从B点插入，穿过纸板和泡沫塑料，用热熔胶固定。

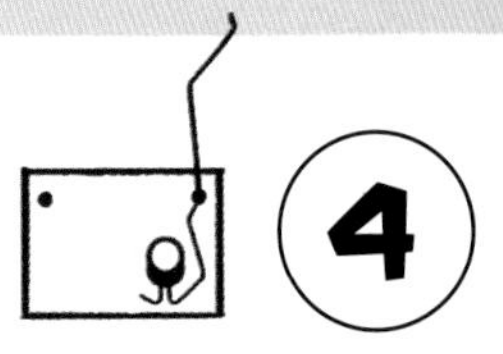

将蜂鸣器的黑色引脚连接在B点的铁丝处。

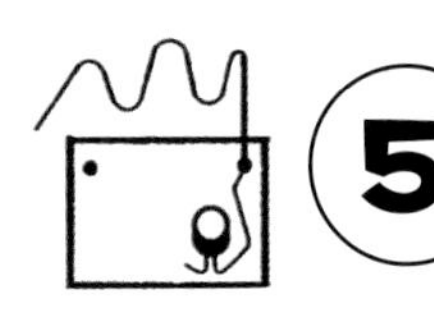

按照自己的想法弯曲铁丝，做出曲线形状。

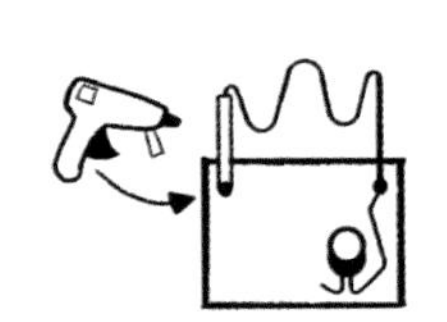

把铁丝的另一端插入到圆珠笔杆里，并把笔杆和铁丝从A点插入，穿过纸板和泡沫，用热熔胶固定。

7

把纽扣磁铁吸
在铁丝上，位置
意。

将蜂鸣器的红
引脚连接到电池
正极。

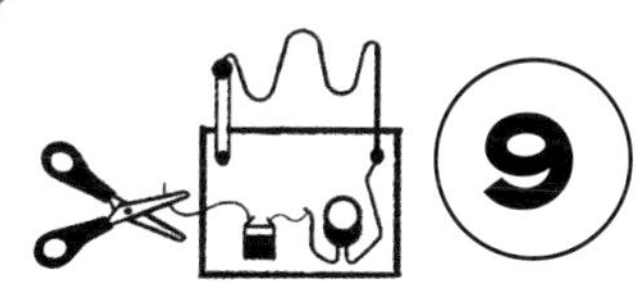

剪下长度为60厘米的电线，把它连接到电池的负极。

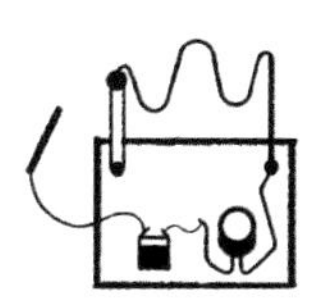

用透明胶带将电线和木扦子粘在一起。

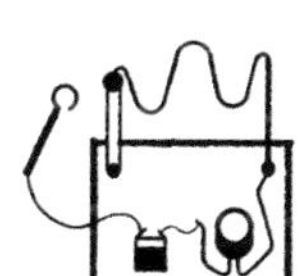

用绝缘胶带把曲别针圆钩和木扦子底部的电线连在一起。

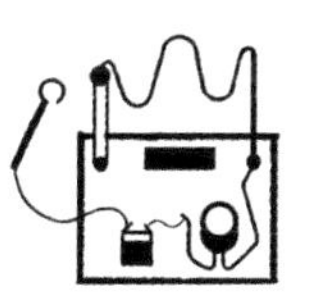

使用热熔胶把条形磁铁固定到一段曲线铁丝的下方，距离约为1厘米；如果磁铁不够高，可以在下方多粘几层纸板，把磁铁垫高。

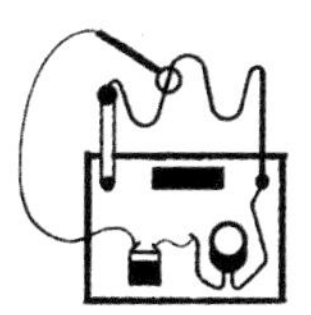

把曲别针圆钩钩在圆珠笔杆上，形成闭合回路。现在，你可以开始这个实验了！

发生了什么

当曲别针圆钩接触到铁丝时，电路闭合，电荷流过，蜂鸣器就开始工作，发出嗡嗡的响声。磁铁可以吸引曲别针圆钩，这就增加了游戏的难度。

术语表

磁场：传递实物间磁力作用的场。

磁畴：铁磁性材料上磁化方向相同的区域。

磁感线：磁铁产生磁场，磁感线就是表示磁场中力的分布和方向的线，是不可见的，磁感线具有方向。如果在磁场中放一个小磁针，磁感线的方向就是小磁针放在这里指示的方向。

磁力：磁铁之间吸引或排斥的力就是磁力。磁铁吸引铁磁性材料的力也是磁力。

磁铁：可以吸引铁磁性材料的物体。

导体：可以导通电流的材料。

电场：电荷周围的区域。

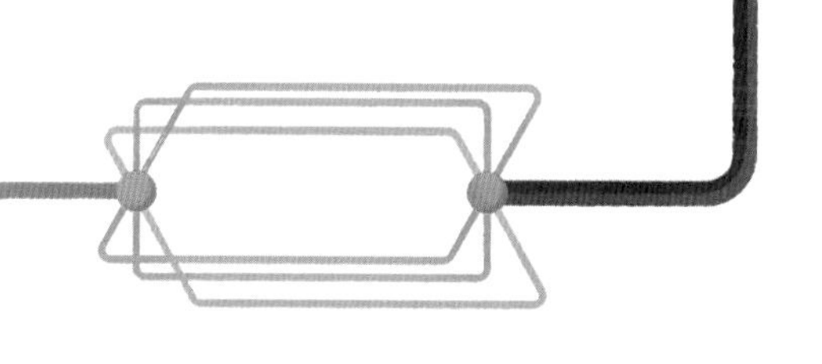

电磁学：研究电和磁之间相互作用现象及其规律和应用的物理分支学科。

电荷：物体或构成物体的质点所带的具有正电或负电的粒子。同种电荷互相排斥，异种电荷互相吸引。

电力：电荷之间吸引或排斥的力。

电流：电子在导体中形成的电子流。直流电流中的电流是恒定的，方向保持不变。交流电流中，电流随着时间变化，方向会持续反转。

电路：电流流动的闭合路径。

电位差：电场中两个点之间电势能的差异。

静电：是一种处于静止状态的电荷。

绝缘体：不能轻易导通电流的材料。

铁磁性材料：含有铁、镍或钴的材料，可以被磁铁吸引改变性质（被磁化）。

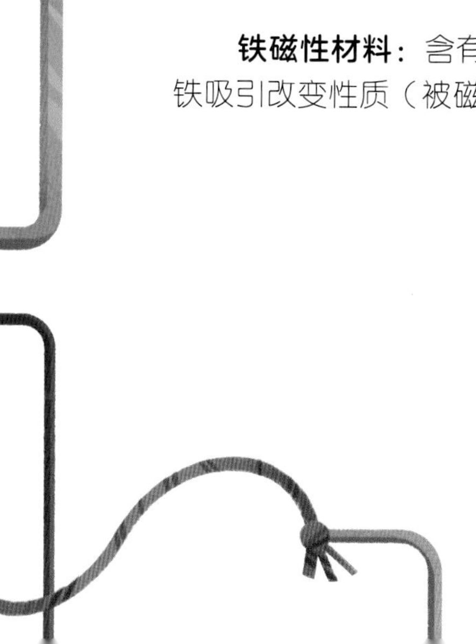

图书在版编目（C I P）数据

和爱因斯坦一起做实验. 电磁的趣味乐园 / (意) 马蒂亚·克里韦利尼著；(意) 萝塞拉·特里翁费蒂绘；王旭译. -- 广州：新世纪出版社, 2022.7

ISBN 978-7-5583-2906-7

Ⅰ. ①和… Ⅱ. ①马… ②萝… ③王… Ⅲ. ①科学实验-少儿读物 Ⅳ. ①N33-49

中国版本图书馆CIP数据核字(2021)第103841号

广东省版权局著作权合同登记号 图字：19-2021-104号

Let's Experiment! Electricity and Magnetism
Illustrations by Rossella Trionfetti
Text by Fosforo

Translation and editing: TperTradurre, Rome, Italy
Editing: Michele Suchomel-Casey

出 版 人：陈少波　　责任编辑：刘　璇　　责任校对：木　青
美术编辑：周晓冰　　封面设计：陆　拾

和爱因斯坦一起做实验：电磁的趣味乐园
HE AIYINSITAN YIQI ZUO SHIYAN: DIAN CI DE QUWEI LEYUAN
[意]马蒂亚·克里韦利尼 著　　[意]萝塞拉·特里翁费蒂 绘
王旭 译

出版发行：SPM 南方传媒 | 新世纪出版社（广州市大沙头四马路10号）
经　销：全国新华书店　　印　刷：当纳利（广东）印务有限公司
开　本：787 mm×1092 mm　1/16　　印　张：3
字　数：35千　　版　次：2022年7月第1版
印　次：2022年7月第1次印刷　　书　号：ISBN 978-7-5583-2906-7
定　价：32.00元